싸움 독학
❷

글·콘티 박태준 **그림** 김정현

길찾기

Contents

싸움독학 2
2022년 2월 15일 초판 1쇄 발행

글 콘티 박태준
그 림 김정현
협 력 김경아(네이버 웹툰)
편 집 김일철, 이은지
디자인 백진화
마케팅 이수빈
펴낸이 원종우

★
펴낸곳 블루픽
주소 (13814) 경기도 과천시 뒷골로 26, 2층
전화 02 6447 9000   팩스 02 3667 2655   메일 edit01@imageframe.kr   웹 imageframe.kr
★
ISBN 979-116769-031-9 07810 (2권) 979-1191225-87-7 (세트)
가격 14,800원

싸움독학

2

글·콘티 ● 박태준
그 림 ● 김정현

500원 드…드리겠습니다

필요없어!

길찾기

> 그렇게 당하고도 정신 못 차렸냐?

내 감정은 다스리고

▶ 제9화: 내 자신을 갈가리 찢고 싶다.

> 대머리 ㅅ끼야

상대를 흥분시킨다

설마 안 아프게
맞는 법이
먹혔다고

계속
사용하는 바보는
없겠지요우?

안 아프게
맞는 법은

어퍼컷에
쉽게 깨져요우

마…
맞다

어퍼가
약점이라
그랬지

호…
호빈아!

어…어지러워!
턱을 맞아서
그런가?

그것보다 이제
어떡해야하지?

…

나는 안 아프게
맞는 법 이후로

동영상을
본 적이 없는데!

김문성이 말한
안 아프게
맞는 법

다음
동작은 일부러
안 한 거지?

다음
동작 같은 거
모른다고!

그런 내게 주어진
뉴튜부라는 기회

hello~

마치 복권에
당첨된 것 같았다

비밀의 독학싸움
페이지도 발견

안 아픈 법을 배우고
돈을 벌게돼
행복했다

얼굴이 팔려
쪽팔리지 않았냐고?

돈만 벌 수 있다면
아무 상관없었다

돈도 벌어
가난에서
벗어나고

나도 이제
다른 아이들처럼
평범해지는 것
같았다

그렇게 나는
안주했다

그렇게

싸움에 대한
공부는 커녕
노력도 하지 않고서

내 밑천이
드러나다니

…나는

옛날부터 나는 맞는건 아무래도 좋다고 생각했어

어차피 상처는 아물고
시간이 지나면 지워지니까

하지만 이번에는…

찌질하고 약한 나를

몰랐으면 했는데!

…뭐?

LIVE

앵글 죽이네

역시 촬영은…

어?

어?

찍새라니까

히끅!

히끅!

!!

미…
미안 호빈…

나…난
하기싫은데…

때리는 게
너무 아파서…

히끅

히끅

찍새가 찍고
있었다는
것보다

방송 중이었다는
사실보다
더 비참했던 건

내가
좋아하는
여자가

나보다
용기가
있었다는
것이다

철

씩

싸워서 이길 자신이 없으니

어그로 끌었으니까

보내줘

비참해져서 지키는 방법을 택한 한심한 놈

그래 그거지 ㅋㅋ

구독자 터지는 소리 들리자너~

호…호빈…

나한테 구독자 몰아주는 거 알지?

그리고 넌 뉴투부 탈퇴하고ㅋㅋ

…응? 잠깐 너…

안녕 보미야…

패…!

팬티는 벗지마!!

이것이 나의…

꼬추
보이면

나
영구정지라고
씨벌놈아!!

안 돼
에에에에!

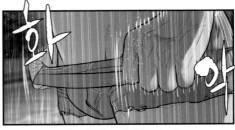

마지막 반항이야

?!

안 벗어도
괜찮아

내…

내…

쌈독

더롱

더롱

마지막
자존심이!!

자… 잠깐 문성아…!

빠

아

…괜찮아?

그래서

무… 문성아!

난 괜찮은데…!

호빈이가!

보미야

난 더 비참했다

가자 최보미

가… 가자고?

하지만 호빈이가…!

지금은…

…가는게 도와주는거야

내…

내 자신에
대한 분노

머리부터
발 끝까지

나는 왜 이렇게 약할까

내 자신을
갈가리
찢고 싶다

나는 왜 이렇게 살아야 하는걸까

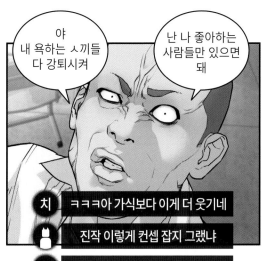

야
내 욕하는 ㅅㄲ들
다 강퇴시켜

난 나 좋아하는
사람들만 있으면
돼

오늘을 위해
모델도 준비했어요
ㅆ발연놈들아

제가 열심히
메이크업한…

치 ㅋㅋㅋ아 가식보다 이게 더 웃기네

진작 이렇게 컨셉 잡지 그랬냐

J 쌈독놈들 강퇴 당하는 것 보솤ㅋㅋ

오늘
모델이에요
ㅆ발 연놈들아

?!

ㅋㅋㅋㅋㅋㅋㅋㅋㅋ

ㅋㅋㅋㅋㅋ

이 ㅅㄲ 찍새 아니냨ㅋㅋ

ㅋㅋㅋㅋ

종
P
백
청

…

자,
찍새

유호빈…

인사해야지

도대체
어디 있는
거야

몇 주째
학교도
안 나오고…

구독자
여러분들께

사과…

인사一

하하…

하하하

사과해야
하는데…!

호빈이

연결이
되지않아一

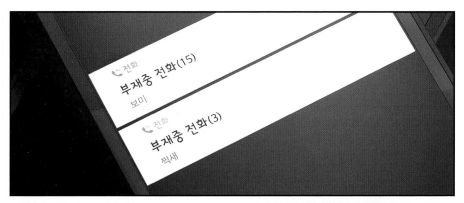

머리부터
발끝까지

내 자신을
갈가리 찢고싶다

가만히 있는
자에게

기적은
일어나지
않아요우

다음 배울
싸움의 기술

일반인과 싸워
이기는 방법!

그래서 나는 내 자신을

갈가리 찢어보기로 했다

지금부터 제가 알려줄 『기술』들은

한 달이라는 시간이 걸리니까요우

[뷰티]계

뉴투버 루미

[구독자력 : 10만]

루미야 10만 축하해!

그랭?ㅎㅎ 한 턱 쏴!

…그건 내가 해야 하는 말 아니냐

유호빈 저 ㅅㄲ는 오늘도 안 나왔네

벌써 『한 달』이다 『한 달』

하긴 쪽팔려서 어떻게 나오냐

바지 벗고 여자 앞에서 개굴욕 당했는데 ㅋㅋ

자연의 섭리지 뭐 ㅋㅋ

짜따 ㅅ끼가 주제도 모르고 나대니 그렇지 ㅎㅎ

…저기

…큰데 있잖앙

너 유호빈이랑 친하지 않았엉?

무, 무슨 소리야~

내가 그딴 ㅅ끼랑 친구겠냐?

그, 그건 그렇고 너 기획자 안 구하나?

내가 경험도 많아서 도움이 돼 줄 수 있을 것 같은데

괜찮으면 나랑 동업…

뭐야

너 유호빈이랑 친한 거 아니었어?

빠… 빡고야!

그냥 비지니스로 같이 다녔던 거지~

그 ㅅ끼 ㅂ신이야 빡고야

ㅈ나 잘 깠어 ㅋㅋ

사실 나도 그 ㅅ끼…!

박쥐가 이곳저곳 붙어서

살아남으려고 한 게 잘못이냐?

공부도 못하고
싸움도 못하는 내가

인싸가 되는 방법은
이것 밖에 없다고!

우리 빡조쿠들
오래 기다렸지?

점심시간
방송 시작한다
ㅆ발럼들아!

인 빡하~
타 빡하~
스 빡하~

대중들은
개돼지다

출근쳤들
부들부들하죠?

난 욕하면서
돈 버는데?
ㅋㅋㅋ

물의를 일으킨
뉴투버 깔 때는
언제고

시간 지나니
다시 빨아대는
ㅂ신들

P ㅋㅋㅋ빡고 컨셉
바꾼거 보소
T 기다렸다 빡고야
J 오늘 컨텐츠 뭐냐

야 내 욕하는
ㅅ끼들 다 쳐내!

난 나 좋아하는
사람들만
있으면 돼 ㅋㅋ

10만원
후원 교맙다
ㅆ새들아

대체
저딴놈한테 왜
돈을 쏘는거지?

더 열받는건 저
ㅈ같은 컨셉으로

와!
ㅆ발 구독자 수
90만!

고맙다
호구 ㅅ끼들아
!!!

홍 빡고업!
두 빡고업!
초 빡고업!

빡고의
뉴투부가 제대로
떡상 했다는 거다

반면 유호빈 구독자 수는 계속해서 빠지는 중

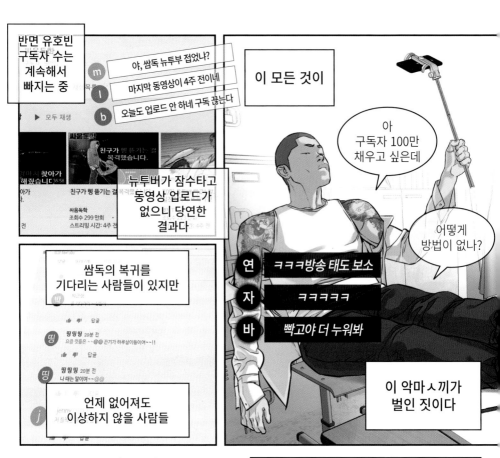

야, 쌈독 뉴투부 접었냐?

마지막 동영상이 4주 전이네

오늘도 업로드 안 하네 구독 끊는다

▶ 모두 재생

친구가 삥 뜯기는 걸 목격했습니다.

싸움독학
조회수 299 만회
스트리밍 시간: 4주 전

뉴투버가 잠수타고 동영상 업로드가 없으니 당연한 결과다

쌈독의 복귀를 기다리는 사람들이 있지만

띵띵띵 20분 전
요즘 멋들은 ~~@@ 끈기가 하루살이들이여~~!!

답글

띵띵띵 20분 전
나 때는 말이여~~@@

언제 없어져도 이상하지 않을 사람들

이 모든 것이

아 구독자 100만 채우고 싶은데

어떻게 방법이 없나?

연 ㅋㅋㅋ방송 태도 보소
자 ㅋㅋㅋㅋㅋ
바 빡고야 더 누워봐

이 악마ㅅ끼가 벌인 짓이다

그리고 뭐?

야 찍새

으,응?

여태껏 저지른 일도 모자라

너 유호빈 집 알지

내일까지 데려와

나더러 친구를 팔아 넘기라고?

난 박쥐니까

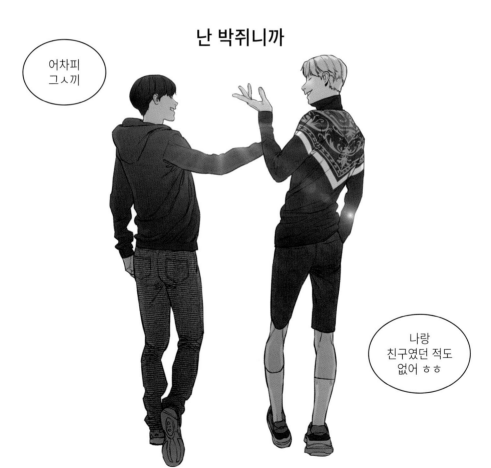

난 살아남아야 하니까!

아줌마!!!

누, 누구?

호빈이
친구니?

아줌마
유호빈 엄마
맞죠?!!

아줌마 아들
어딨어요!!!

아 누군지
알 거 없구요!!

아줌마 집 어디예요!
유호빈 학교 데려가야
한단 말이에요!

너 때문에 내가 얼마 날린 줄 알아?

내가 유호빈 나오게 한다고 50만원 미션도 받았다고

구슬려 나오게 하기는 씨발!

종	미션 실팩ㅋㅋㅋ
치	50만원 날아갔구요~
백	오늘 쌈독 나온다매 씨발아

그, 그게 내가 집 주소를 받아서 찾아갔는데…

아무리 두드려도 그 스끼가 안 나오는 거야…

그냥 불 질러버릴까 하다가 참았는데…

내, 내일까지 데려오는 걸로 안 될까…?

당연히 안 되지 씨발놈아!

청자들이랑 약속 다 해놨는데!

초	아 오늘 쌈독 팬티 보여준다며
박	방송 또 ㅈ같이 하네 빡고 …
차	컨셉 바꿔도 이런건 지켜야지

안 되겠다

유호빈한테 영상편지해

이거라도 해야 그 ㅅ끼가 나오지

호빈아~ 빨리 학교 나와~

그래야 내가 안 맞지~

그럼 내가 너 안 괴롭힐 테니까

유, 유호빈···

그렇게 말하면 날 괴롭히지 않겠다고?

절대 학교 나오지 마

빡고가 너 까면 50만원 후원 받는 미션 받았어

너 학교 오면 이 ㅅ끼가 진짜 죽여버릴지도 몰라

괜히 나 왔다가 나처럼 되니까 집에 숨어있어

내가···

어떻게 너한테
그럴 수 있겠냐

집 주소로
찾아가서

유호빈을
잘 구슬려 학교를
나오게 하는 거야!

…

저기 근데
혹시…

호빈이랑
같은 반이니?

뭐야 어떻게
알아요?

학교에서

맞구나!

우리
아들이 맨날
얘기 했거든!

처음 사귄
친구라고!

그 친구 덕분에

항상 위안이 되고 힘이 된다고

그렇게 배신하고 뒤통수치는

어떻게 팔아넘길 수 있겠냐고

나같은 놈을 친구라고 생각하는데

…씨발

보고만 있지 말고 도와줘 개ㅅ끼들아

…하긴 이게 다 내 업보지 뭐

박쥐같은 인생을

보고 있냐? 유호빈

얘가 너 친구로 생각한대

살아온 내 업보

혹시라도
지금 방송
보고 있다면

나오지 말고
집에서…!

어?
뭐야 너…

응?

LIVE

?!

방송이 켜져 있어?

뭐지?

?

? 머임?

방송 킨 거?

뭐지?

?

? 머임?

방송 킨 거?

뭐해 찍새

찍어

싸움독학

복귀 컨텐츠…

어?

설마?

헐 씨발?

뭐라는 거야 이 ㅂ신은?

그리고 내가 이 말을 하면

빡고는 뺨을 때릴 것이다

저번에 했다가
실패한 거잖아!

어이가
없네

했던 거
또 하면…

먹힐 줄
알았어?

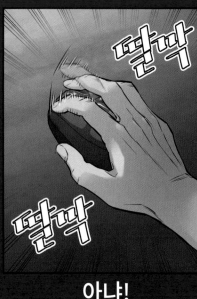

딸깍

딸깍

아냐!

 ehrgkrTkdna
구독자 0명

홈 동영상 재생목록 커뮤니티 채널 정보 🔍

업로드한 동영상 ▶ 모두 재생

aosthsdmfh
wpdkqgksms qkdqjq
ehrgkrTkdna
조회수 0회 · 22시간 전

dksdkvmrp akwsmsqjq
ehrgkrTkdna
조회수 0회 · 1일 전

snsqlcdmfh
rltjswpdkqgksmsqjq
ehrgkrTkdna
조회수 0회 · 2일 전

wnajdgksqkddmfh
Rmxsosmsqjq
ehrgkrTkdna
조회수 0회 · 3일 전

tkdeork tjsQkd skffuTdmfEo
dlrlsms qjq
ehrgkrTkdna
조회수 0회 · 4일 전

glkseoakwrh
eneoehffuwnsms qjq
ehrgkrTkdna
조회수 0회 · 5일 전

Ekddpek tladjqjflsms qjq
ehrgkrTkdna
조회수 0회 · 6일 전

tkdeo dnawlrdladmf dlfrsmsqjq
ehrgkrTkdna
조회수 0회 · 1주 전

tmqthaks Eoflsms qjq
ehrgkrTkdna
조회수 0회 · 1주 전

wnajrdjqtdl
tkdeolmf whrwlsms qjq
ehrgkrTkdna
조회수 0회 · 1주 전

구독

나한테도 있었어!

싸움에 필요한 3대장!

수북

첫 번째! 체급!

그 챔피언이 선택한 기술은

어퍼컷도, 초크도 아닌 로우킥이었어요우!

…?!

찌지릿

찌릿

당신은 이걸…

돼, 됐다!

한 달 동안

만 번을 차야 합니다!

헛되지 않았어!

으!

으!

으...
으!

띵 찐따가 차도 아픈~!~!

띵 악명 높은 킥이란 말이여잉~!

대미지를
누적시키는
기존
로우킥과
달리

카프킥은
한 번에
엄청난
대미지란
말씀!@

뭐야

안 아프게 맞는 법의

할 줄 알았잖아

콤비네이션 기술

싸움의
3대장 중 하나는
체급!

체급이 딸리면
도망쳐야 해요우!

제가 가르치는 건
운동이 아니라
싸움!

싸움에는
링도 심판도
없어요우!

f 도망만 치네 ㅅ발 노잼

형 아 ㅅ발 나갈란다

k 뭐하냐 개답답하네

알았다

기술이 카프킥밖에 없는 건가?!

너 발차기 밖에 없구나?

아 하긴 한 달이라는 시간이 좀 짧았지?

그러네 유호빈 계속 발차기만 해

저 ㅅ끼 저것만 연습하고 온 거 같은데

그럼 그렇지ㅋㅋ

이제 ㅈ나 맞겠네

삼가 고인의 명복을 액션빔

우린 오른쪽 카프킥만 연습했어요우

이제 안 통해 찐따야

예측당하기도 쉽고 간파당하기도 쉽죠우

한 달이라는 짧은 시간 동안

두번째 기술을 수련하는 건 불가능했어요우

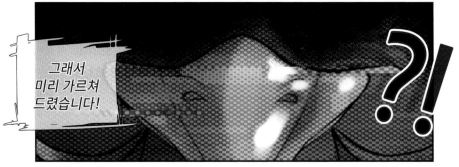

그래서 미리 가르쳐 드렸습니다!

또 카프킥이야?

상대방의 모든 신경이 카프킥에 쏠려 있을 때

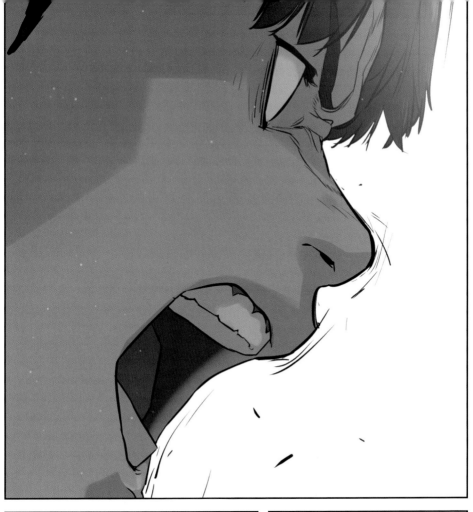

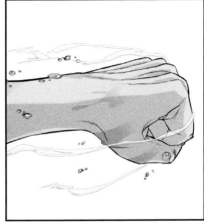

난!

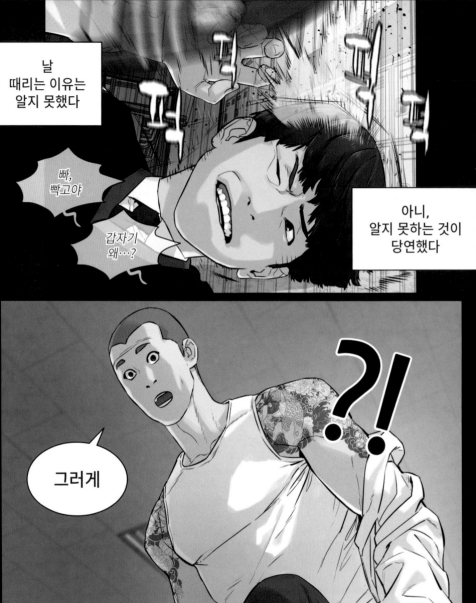

정적

그리고

정적

교실 안에 울려 퍼지는 것은

환호성도 비아냥도 아닌

내 숨소리 였다

그 친구
덕분에

항상
위안이 되고
힘이 된다고

유호빈이 날 그렇게
생각하는 줄 몰랐다고!

…

어라?
먹히네?

후…
앞으론 조심해라
너희들

사실은 나
즈나 쎈 거
아닌가?

뒤지기
싫으면

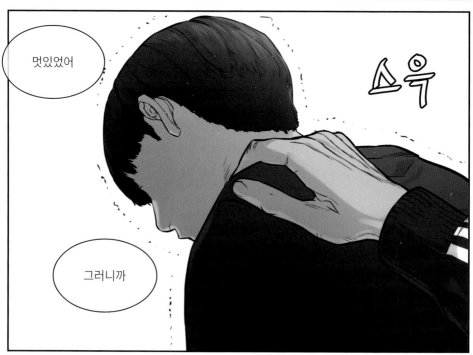

그러니까

…좋아요까지

나 무시하지마

그 날 이후

빠고는 학교에
나오지 않았다

내가
무서워서겠냐고?

난 빠고를 이겼다고
생각지 않는다

피나게
노력했지만

운 좋게 턱에
맞은 럭키펀치
였으니까

그동안 늘어났던
빡고의 구독자들!

빡고 맞는 거 보고
싸움독학 들어왔는데 재밌네 ㅋㅋ

이 ㅅ끼 찍새랑 케미가 골때림

붕붕펀치 봤냐? 찐따쉑ㅋㅋ

럭키펀치 터진거지 뭐 ㅋㅋ

붕붕펀치가 아니라
오버핸드 훅인데…

다 내 페이지로
모여들고 있어!

10만 이상
뉴투버의 상징

실버버튼까지
수여!

감사합니다
여러분들!

절까지 하네 이ㅅ끼ㅋㅋ

졸귁ㅋㅋ

쌈독업

구독자
15만 달성!

열심히
하겠습니다!

절이 과하다??

아~그랜절 아시는구나~

오우 절 좀 할 줄 아는 놈인가?

문성이?

?!

문성이가
병원에
왔었다고?

엄마 그럼
난 일하러
가볼게

응
들어가 아들~

그 친구 이름이
문성이었나?

그럴 리가
없는데…

321

박지현
박하준
이지우 노하윤

딱

그런데 엄마

뉴투부를
더 키우려면

편집자를
구해야 해

뭐?
편집은 그동안
네가 했잖아

난 어깨너머로
배운걸 했던
거고!

전문가가
있어야 한다는
거야

지금이야
우리 컨텐츠가
먹히지만

좋은 컨텐츠도
언젠가는 질리게
되어 있어

우리 영상이
실패하거나
개똥 같이
나왔을 때

그걸 금칠 해줄
편집자가
필요하다는 거야

싸움독학
동영상을 편집해줄
편집자!

『편붕이』를
모시고
있습니다!

아…
안녕하세요
여러분!

김 호빈이 많이 컸네ㅋㅋ

황 그러게 편집자도 구하고ㅎㅎ

창 지들이 키웠나
감정이입 오져버리고ㅋㅋ

실시간으로
지원자
받겠습니다!

각자 이력
적어주세요!

크게 기대는
안 되지만…

태 ㅋㅋ뉴투부 본다고
우리 무시하네

d 구독자 중에 능력자
많은 거 모르냐?

창 어? 열받네 딱 기다려라

우…
우와…!

드륵
뜨르륵

이…
이건…!

확실히
대단하지만

41세/남/어제 베트남 마누라랑 이혼함

j 22세/남/전공 수업 도중 좋아하는 애 앞에서 똥쌈

28세/남/피시방 가려고 엄마 지갑에 손댐

대단하기만 한
사람들이다!

야야…이런
사람들을 어떻게
편집자로 써…

아니
ㅆ발 이렇게
될 줄 몰랐지

하…
하하…

g 다 들려 ㅅㅂ놈들아

현 우리가 부끄럽냐?

진짜 ㅈ같은 ㅅㄲ들이네 이거

위 이혼한 사람이
니 가족이라고 생각해봐라

혹시 편집
경험 있으신 분은
없나요…?

있으면 지금 시간에
방송 안보지

ㄹㅇ ㅋㅋ

ㅇㅈ ㅋㅋㅋ

씌불,,,@@
내가 **편집 좀** 하는거신디,,~~

응?
이 사람은?

항상 내 방송
중계해주던?!

g ㅋㅋ틀ㄸ 등판했누

야 틀ㄸ 쳐내

현 야 그냥 틀ㄸ 시키자

띵 어린눔@@ 쉐리덜이 버릇없나시!!

틀…아니
어르신께서요?

뉴투부도 손자가
틀어주는 거
아니었어요?

b 야 틀ㄸ 지원자잖아 받아ㅋㅋㅋ

새 그래 틀ㄸ 시키면 되겠네

m 틀ㄸ업

야야
틀또한테 까톡
받았어?

어 받았긴
했는데…

조금
문제가…

문제?

조금…

옛날 감성 같으신데…

인생에서 가장 값진 선물..

인연...^^=

국사봉

언제나 행복~~^♡^

📞 통화하기

❞ 카카오스토리

차단하자

야! 그래도 약속했는데 봐야지!

면접은 어디서 보기로 했는데?

몰라? 어르신이 찾아오겠다고 하셨어

아니 어딘 줄 알고 찾아온대?

하여간 틀ㄸ들 대책 없는 건 알아줘야 한다니까

야야 말 좀 이쁘게 해

외국에서 오래살다가 인터넷에서 한글을 배웠는데

하필 배운 곳이 아재들 커뮤니티였나봐

그, 그 틀ㄸ이 얘였다고?

너가 그 쉬불쉬불 거리는 사람이야?!

그러니 제대로 한글을 배웠겠냐

『여고생』+ 『휴먼아재체』의 혼종이 탄생한 거지

며…면접은 안 볼 거여?!

ㅋㅋㅋ그냥 여고생 타이틀 단 틀ㄸ이자너ㅋㅋㅋ

얼굴이 귀엽기는 이게 뭐가…!

어디서,,! 삿대질인 겨@@

꾸욱

앗!

아이고 힘들다

오늘 아주 스트레스 받는 날이었어

조감독 원석이가 말썽을 부려서

아주 크게 혼을 냈지 뭐야

근데 대단하긴 하다

재미있는 구독자 채팅은

따로 골라서 클로즈업 까지 해줬구나…

편집으로 훨씬 더 재미있는 동영상이 됐어

쌈독은 시청자들이 먹여 살리잖여~

하지만 채용하기엔 뭔가 부족해

편집하면서 불편했던 점은 없었어?

아 여기가 많이 불편하더라고

확 꽂히는 뭔가가 없어

응? 어디?

거기가 힘들었단 말이여

털이 삐져나와서 어떻게 편집해도 첩첩산중이고…

심쿵
Heart Attack

으아아아아아!!!

팬티에 뭐가 묻어있어서 CG로 치워야겠고 말이여

엉덩이에 이건 또 뭐여 버즘이여?

탁

으아아!!

으아아아아아!!

엉? 이거 확대해보니까

삐져나온 게 털이 아니라 다른…

합격!! 합격!!

그… 근데 하나만 더 물어볼게

이정도 능력이면 다른 뉴투버랑 일할 수도 있는데

왜 내 편집자를 하려는 거야?

글쎄…

댓글 206

공개 댓글 추가...

이 싸움 쌈독이 이겼구면@@!1 😊 #

선톡은
어떻게 해야
하는 거지?

자니…?

자니는 안돼!!

야 저 ㅅ끼 말려

찍지 말고말려 찍새 미친놈아

아오 이 ㅅ낀 왜케 챙겨주고 싶냐

오늘도 재밌었다 쌈독

뉴투부는 하면서…

…

나랑은 연락 안 할 생각인가…

전화라도 받아줬으면…

경찰에 신고해야 되는 거 아니냐?

있어봐 좀 찍게

뉴투부에 올릴 거야

응? 무슨 일 있나?

싸우는 거 봤냐?

ㅅ발 고딩 아닌 줄 ㅋㅋㅋㅋ

ㅇㅇ 나 이런 싸움 처음 봐ㅋㅋㅋ

!!!

누가 싸웠어?

올림픽 등의
스포츠 태권도는

제한시간 동안
어떻게든 점수를
많이 따면 승리

『실전 태권도』는?

고작 점수내기가 아닌

상대를 쓰러트리는
입식격투기!

실험이
있었어

오랜 시간
격투기를 수련한
달인들을 모아

발차기의
속도, 위력을
측정하는 실험!

무에타이

순간속도
『209km/h』
위력
『636kg』

카포에라

순간속도
『160km/h』
위력
『816kg』

그렇다면
태권도는?

UFC 미들급
챔피언
『X더스 실바』

UFC 미들급
챔피언
『X너 맥그리거』

!!!

태권도에 대해
어떻게
생각하십니까?

기술들이 화려해
빈틈을 찾기 쉽지

하지만
그『기술』은
다르다

『필살기』가
있다는 말인가요?

YES
(그래)

TAEKWONDO
GOOD
(나 같은 선수들도
경계하는 태권도의 필살기)

속도, 파괴력, 정확성   제대로 맞으면 그 상대는 절명

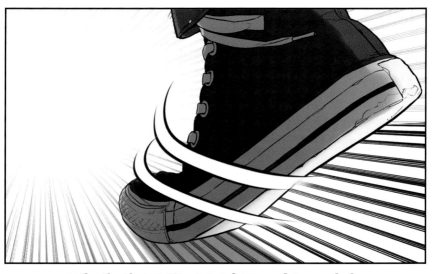

적에게 등을 보여도 되는 기술

태권또의 꽃
뒷차기

안 잡히면
되잖아?

아니
구독자들의
일진 제보

다 좋아
다 좋은데

이건 양아치 일진이 아니라
프로선수잖아!

그때까지만 해도 모르고 있었다

이기는 방법은 가까이에 있음을!

상대의 무력감과 수치심을 갖고 싶은 거지

도,
동주야!

…뭐야
태권도야?

500원
있냐?

오락실
가게

ㅋㅋㅋ

같잖게
운동 배워서
까부는 거야?

판혁아
조심해! 저 ㅅ끼
선출이야!

선출은 ㄴ미
ㅋㅋ짤린 ㅅ끼도
선출이야?

그리고 겉멋 든
ㅂ신 스포츠에
선수 없다

그래플링도 없는
격투기가 격투기야?

태권도는 그냥
킥댄싱이지ㅋㅋ

...

잡아서
던지면

끝이란
소리야!

?!

바…발재간이
제법…!

또 온다!

돌려차기
인가?!

막고서
반격하면 돼!

마…
말도 안 돼…

판혁이가

그만…

그…
그마…

저렇게
쉽게…!

자…
잘못해어…

미…
미아해…

500원
있냐?

이허…
이허…

오배허
줄헤…

너 말고

즐기는 거다

이 상황을 즐기는 거야

이렇게 넘어가는 거야!

나랑 싸우겠다는 애들 아니야?

너희 방송 나가고 연락 많이 받았거든

저격해서 돈 많이 벌었다고 그러던데

어, 어?

저기 있잖아

!!!!

너 뉴투부 나 주라

어…

어?

다른 양아치들이랑 다른 점 없지 않냐고?

너흰 이 또라이 ㅅ끼를 몰라서 그래

옆에 있는
친구를 때려

!!!!

성태훈이
갖고 싶은 건

물질적인 게
아니야

친구가
맞았음에도

아무것도
못하는

상대의
무력감과 수치심을
갖고 싶은 거지

뉴투부
나 줘

어…어?

뭐… 뭐야?

도대체 뭐야?

고작 그게

때리는 이유야?!

!!,,@@!! @@~~!@

이유 같지 않은 이유로

사람을 그렇게 패는 거야?

너네 뉴투부 주라

너희 같은 애들은 다 그래?

뭐야

싫나 보네?

내가 만약
싸운다고 한들

발끝이라도
건들 수 있을까?

일반인과
싸워!

이기는
법!

카프킥!

-이
통하지 않아!

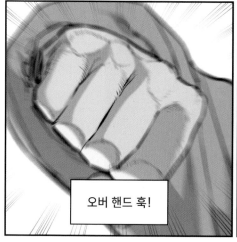

오버 핸드 훅!

-이
통하지 않아!

맞으면 아프니까!

…준다고?

친구가 맞았음에도
아무것도 못하는

유…유호빈
너 지금…

바,,,@@
방금 뭐라고,,
한 겨?

상대의 무력감과
수치심을 원한다고?

찍새는
입원했다

노…노을
이쁘다

그치?

뒷치기 한 방에
갈비뼈에 금이
갔다고 한다

화…
많이 났냐?

아…
많이 났겠지…

그래도 그렇게
말하는 수밖에
없었어

뉴투부
안 준다고 했으면
계속 때렸을 걸

일단 그런
양아치는 피하는게
상책이야

겨…경찰에
신고하든가 해서
해결하면 되는 거야

그래도
난 안 그랬다

뭐?

맞으면서까지

우리가 키운
뉴투부 준다고
안 했다고

솔직히 말하면
네가 빡고랑
싸울 때

나도
감명 쎄게
받았다

찐따여도 저렇게
할 수 있는 거구나

나도 저렇게
용기 내볼 수 있는
거구나 하면서

근데
이게 뭐냐

…

경찰에
신고하는 거랑은
다른문제 아니야?

넌 자존심도
없냐?

카프킥도
오버 핸드 훅도

통하지
않을 거 같은
상대

나도
무섭다고

맞으면
아프니까

맞아
나 쫄았어

프로랑
어떻게 싸워

미안하게
됐다

그래

너 맘대로
해라

카메라~@
양반,,,!

좀,,@
괜찮여?

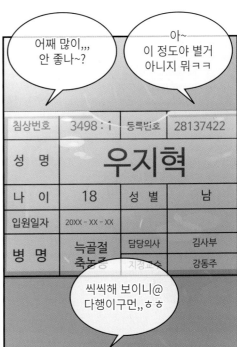

진짜…

ㅈ나
ㅂ신 같네
나…

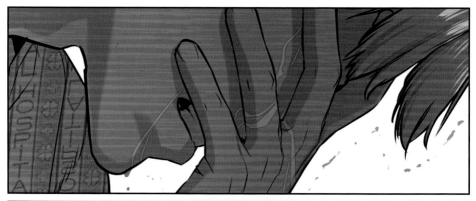

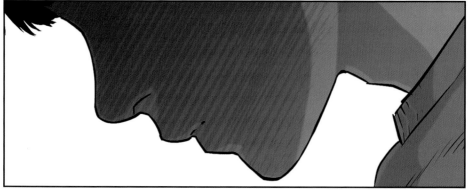

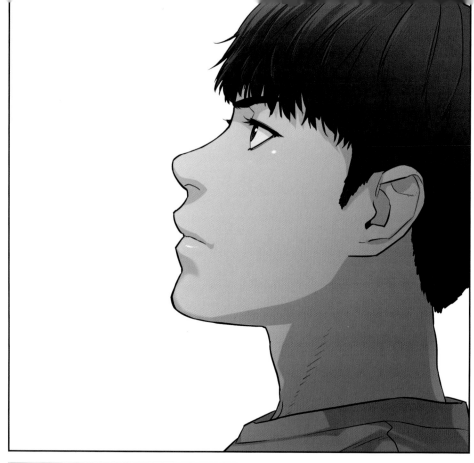

서…
성태훈이
졌어?!

그것도
퍼펙트로?!

대체 이게
어떻게 된…!

별 거
아니네

싸움독학
제 1장

태권도

상대를
흥분시킨다

바지에 오줌 쌀 거 같다

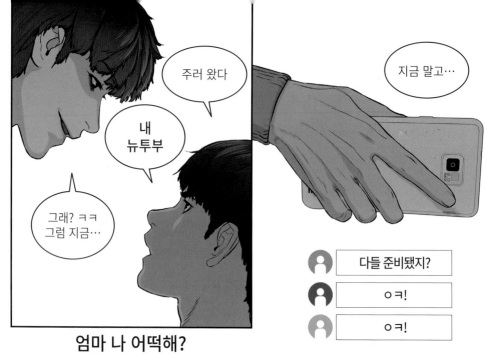

엄마 나 어떡해?

나 지금 프로한테 싸움 걸고 있어

해 봐
그럼

한 달
뒤

후우

날짜
장소

네가 잡아서
연락해

조금 지렸다

…마음 아니까

…뭐?

그럼 난 간다

좀 바쁠 거 같아서

가긴 어딜 가!@

„내 카프킥 맞구 가!„

한 달

생각보다
짧더라

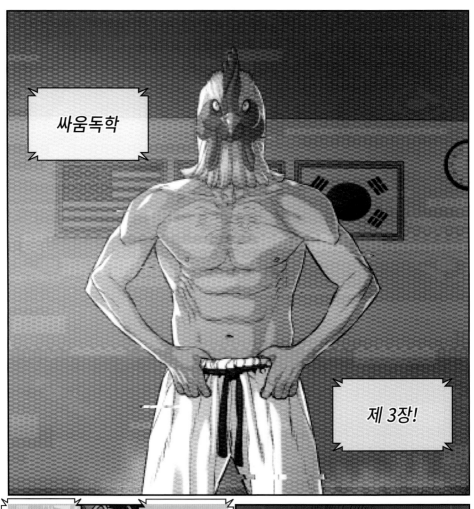

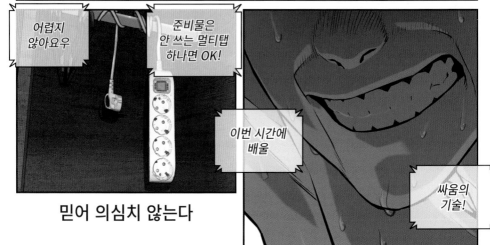

태권도와 싸워
이기는 법!

이미 난 승리를 경험했으니까!

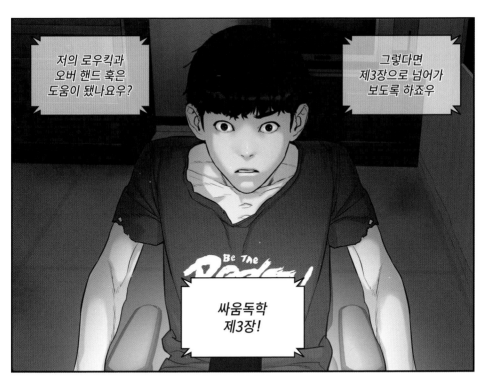

저의 로우킥과
오버 핸드 훅은
도움이 됐나요우?

그렇다면
제3장으로 넘어가
보도록 하죠우

싸움독학
제3장!

일반인이

태권도를
이기는 법!

답은
간단해요우

못 이겨요!

상식적으로 생각을 해봐요

일반인이 프로를 어떻게 이겨요우

아, 아니 저기 아저씨요 !!!!

그냥 포기하는 게 편해요우

프로 상대론 로우킥 오버 핸드 훅도 안 통해요우

Damn it!

아저씨가 포기하면 어떡해요!!!!

다른 걸 떠나서

태권도의 『뒷차기』에 맞은 상대는 목숨을 잃게 되지요우

You Die!

아니 왜 겁을 주고 있어!!!

현란한 스텝과 강력한 발차기의 태권도

일반인은 아무것도 못하고 무너질 거예요우

쌈닭이 이렇게 말하는 건 처음 봤어

정말 일반인과 프로의 격차는 그렇게 큰 건가?

…하지만

이, 일반인은 절대 선수를 못 이기는 거?

어 그럼… 내 뉴투부는 어떻게 되는 거지?

링이 아니라 길거리 싸움이라면?

!!!!

잊으셨나요우?

난 격투기를 가르쳐주는 사람이 아닌

싸움을 가르쳐주는 사람이라는걸!

간 떨어지게 하네 진짜!
근육 땜에 옆구리에 팔 안 닿는 거 보소!

발차기를
못하게 만드는
겁니다

!!!!

『장소 선점』

링이 아닌
미끄럽고 가파른
곳에서도

태권도가
발차기를 할 수
있을까요우?

알았다

싸움에
필요한 3대장!

아빠 저 형아
이상한 게
덜렁거려!

좌악

좌악

체급, 체력
의지는 항상
단련하기!

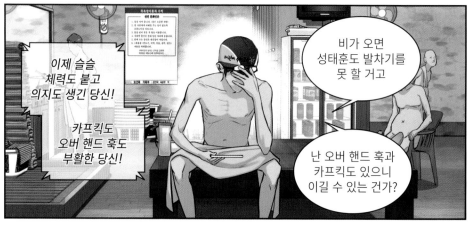

이제 슬슬
체력도 붙고
의지도 생긴 당신!

카프킥도
오버 핸드 훅도
부활한 당신!

비가 오면
성태훈도 발차기를
못 할 거고

난 오버 핸드 훅과
카프킥도 있으니
이길 수 있는 건가?

그래도
못 이겨요우!

?

아니
아저씨요
!!!

장소선점, 체급, 체력, 의지가 완벽해도

이길 수 있는 확률은 고작 5%!

그, 그럼 어떡해?

···하지만 저는

그 확률을 40%로 만들 기술을 알고 있지요우!

!!!!

바로···

태클 이에요우!!

오우쉣!!!

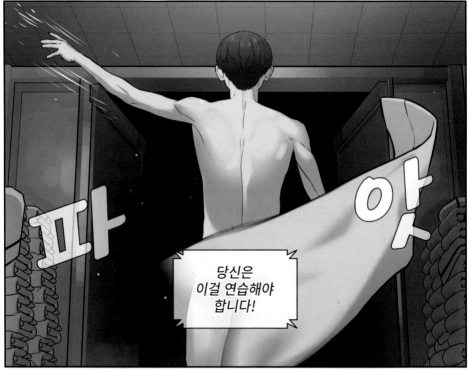

우리에겐 물이 있잖아요우!

히, 힘들어 어어어어!

조, 조금만 더!

물의 저항을 이겨내며 근지구력과 심폐지구력

순간 스피드를 향상시키는 거예요우!

태클은 코어근육의 결정체!

추, 추워어 어어어!

아빠 저 형아 이상한 게 쪼그라들었어!

당신은 한 달 동안 코어 근육을 단련해야 합니다!

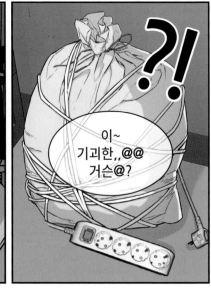

40%까지 올린 승률을

50%까지 올리는 방법!

아···
그건···

새 | 방송 중엔 알람 꺼 ^^ | 발아

짱 | 근데 이 시간에 뭔 알람이지

!!!!

아무것도
모르는 것드라,,!
@@@

와 틀ㄸ 말을 실사로 듣네

^^ | 발 얼굴을 보이라고

이쁘냐?

스치기만 해도
위협적인

태권도의
『뒷차기』!

스치기만 해도
위협적인,,@

태권도의
『뒷차기』!~!

한 번이라도
버틸 수 있는

몸을 만드는
거예요우!

한 번이라도
버틸 수 있는,,!

몸을 만드는
거여!!^^*@

사실 나도 짐작하긴 했었음ㅋㅋ

ㅋㅋㅇㅁ역시..내 생각대로였나

태세 전환 개역겹네 이ㅅ끼들

부럽다…   미치도록 부럽다…!

제발

빨리 비가 와서 바닥이 젖기를!!!

어?

비가 안 오면 안 되는데?!

비가 안 오면 그곳에서
싸우는 의미가 없다고!

발차기를
봉쇄하지
못하면

일반인은 절대
태권도를 이길 수
없어요우

그럼 난…

그럼 난…!

안 돼

못 싸워!

안 싸워!

구독자
여러분들
죄송해요!

갑자기
유호빈이
도망쳐서!

이 ㅅㄲ
ㅈ나 빨라요!

ㅋㅋ

비가 오지 않는다면

비를 내리게 하면 돼

발차기만 못 쓴다면

?!

기대 많이 했는데

바…방금 뭐였지?

눈앞에 뭐가 번쩍했던 거 같은데

▶ 제17화: 실전은 처음이야?

너 진짜 이게 다야?

설마 나 지금 맞은 건가?!

patagona

어이!!!유호빈!!!

정신 차리라고!!!

와 ^^ | 발 방금 원 투 봤냐

성태훈 태권도 선수라매 ^^ | 발

영 | 태권도 선수이면서 격투기 선수잖아

김 | 원 투는 기본적으로 치지ㅋㅋ

유…유호빈 설마 그게 다야?

그게 너가 한 달 동안 준비 했던 거야?!

^^ | 발 이럴 줄 알았지

프로랑 싸우긴 뭘 싸워

한 달 동안 어그로 ㅈㄴ 끌렸네

꺼억

꺼억

꺼억

물 뿌려서 발차기만 봉쇄하면

이길 수 있다고 생각한 거야?!

태권도 선수니까 미끄러우면 이길 거다?

그거 믿고 싸우려 했냐?

ㄹㅇㅋㅋ 상식이 없나

저, 정신을 못 차리겠어

빡고 때랑은 전혀 달라!

촥

바닥 미끄러우면 지도 넘어지는데 ㅋㅋ

이제 어쩌게

ㄹㅇㅋㅋ 바닥 미끄러우면

쌈독도 카프킥 못…

이게 다야

위 뭐냐고!!!유호빈!!!

C 네이스!!!너무 달아!!!

황 뭐야 왜 안 넘어져?

야^^ l 발 알았다

???

???

???

아쿠아슈즈 신었네 저 ㅅ끼!

확실히
이걸 신으니
안 미끄러지네

♪

이거 막 인싸들이
물놀이 할때
신는 신발 아닌가

괜히 나도
인싸 된 거
같기도 하고ㅎㅎ

아빠! 저 형아
목욕탕에서
신발 신었어!

이것만 있으면

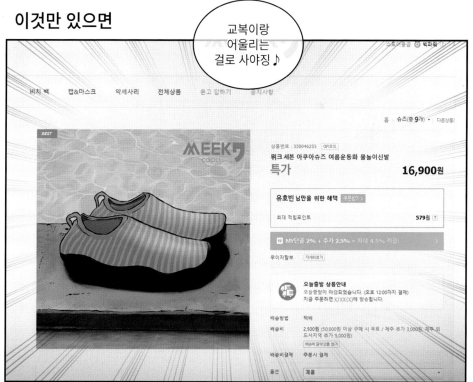

『나만』 안 미끄러질 수 있어!

빡고도 저렇게 못 따라왔다고!

거기다 여긴 물때가 있어 훨씬 미끄러운데!

그때 나는 처음 깨달았다

🖋️ 성태훈은 빡고랑 다르지,,@@

향 편집자 왔누ㅋㅋ

이쁘냐?

이쁘냐?

카프킥!!

맞으면서
차는 수밖에!!

창 | 기술명 외치는 거 미치겠네

김 | 저 ㅅㄲ 왜 자꾸 카프킥 이름 말하냐고

태 | ^^ ㅣ 발 찐특이니까 이해해라

아니 ㅅ발
다 좋은데…!

입으로
기술 좀
말하지마…!

…어라?

설마 너 소리치는 이유가

상대방의 모든 신경이

카프킥에 쏠려 있을 때

짜내듯
힘을 준다

빨리!!!

짜내듯 힘을 준다

노력은 배신하지 않는다

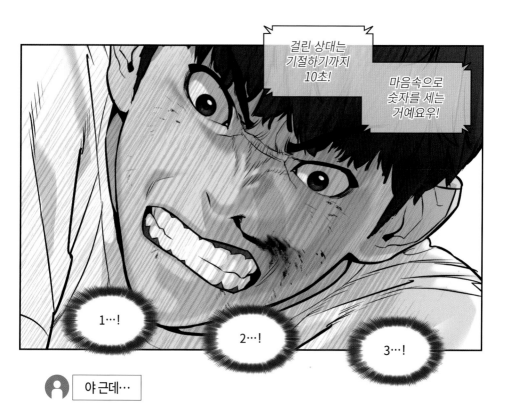

야 근데…

왜 저렇게 평온해?

흥분금지는 상대방이 아닌

자신에게 해당되는 말

초보자일수록 흥분하지 말고 천천히

침착하게 순서를 놓치지 말아야 해요우

바보같이!

그렇게 열심히 연습해놓고!

한 달을 장롱에 매달려 살았으면서!

깃을 놓칠까 봐

가장 기본인 자세 유지를 잊고 있었어!

어?

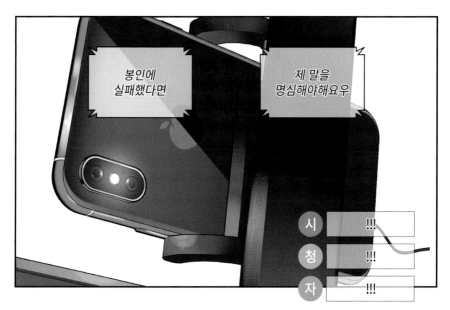

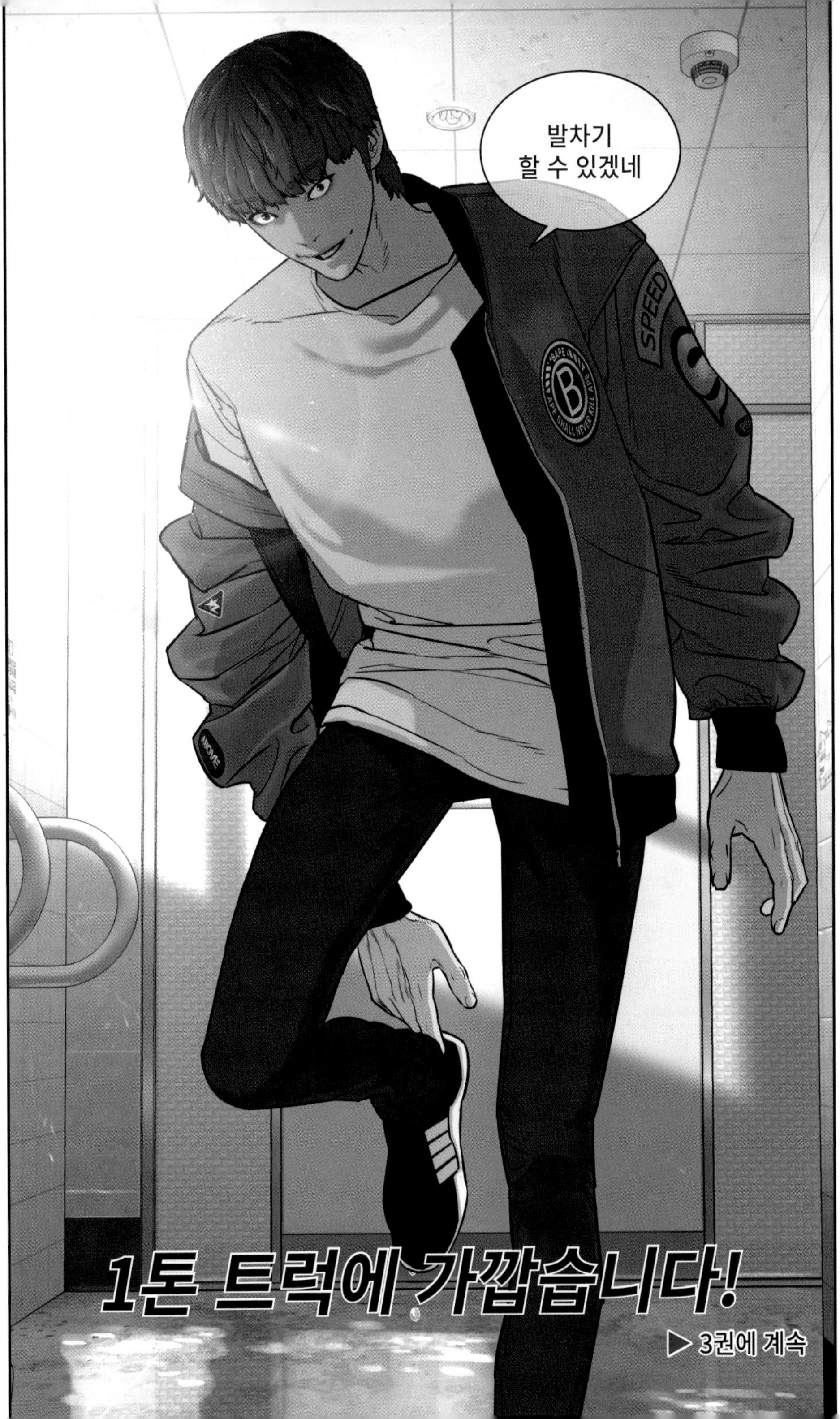

▷ 3권에 계속

길찾기 웹툰 단행본 안내─────

뷰티풀 군바리 ①~⑦
설이 / 윤성원 ▪ 국판 ▪ 각권 11,800~13,800원

만약 여자들도 군대에 가야한다면?
예능보다 리얼한 여자 군대 생활 2년!!

TV로 방영되는 예능 프로처럼 보기 좋게 연출되지 않는… 아니, 그럴 이유가 없는 날것 그대로의 군생활이 작가의 생생한 경험을 바탕으로 전개된다. 땀과 눈물을 쏙 빼놓는 혹독한 훈련, 악마보다도 악랄하기만 한 고참들의 갈굼, 대체 왜 그런 것인지 알 수 없는 군대 문화와 내무 부조리, 그리고 그 와중에도 빼놓을 수 없는 동기들 간의 전우애. 고된 훈련을 마치고 자대인 중기방순대에 배치받은 우리의 주인공 정수아 앞에는 과연 어떤 생활이 기다리고 있을 것인가?

1~7권 절찬 발매 중!!

호랑이 들어와요 ①
배세혁, 유은 ▪ 국판 ▪ 14,800원

귀여운 범이 내려왔어요~!!

어릴 적부터 친하게 지내던 소년과 소녀는 어른이 되자 부부의 연을 맺었고, 오붓하게 살아가고 있었지만 고민이 하나 있었다. 아이가 생기질 않는다는 것. 온갖 방도를 써봤지만 효험을 보지 못해 옆 마을의 무당을 찾아갔다. 무당의 알려준대로 숲속으로 들어가 산신을 섬기는 생활을 시작했다. 그러던 어느 날, 두 사람 앞에 마치 산신이 점지해주신 것처럼 귀엽고 호랑이를 닮은 아이가 나타났는데…

나이트런 네가 있는 마을 ①~⑩(완)
김성민 ▪ 국판 ▪ 각권 13,800원

반전! 또 반전!! 인류의 진정한 적은 누구란 말인가?!

우주력 430년, 성간 이동이 가능한 고도의 문명을 이룩했지만, 인류는 여전히 분쟁의 역사를 되풀이하고 있었다. 그 혼돈과 무질서를 틈타 등장한 인류의 적 괴수. 인류는 특별한 검과 초월적인 능력을 지닌 기사를 앞세워 위기를 극복하는 듯 했으나 새로운 정착지 중 하나인 '토발'로 전쟁의 불씨가 옮겨 붙는 것을 막지는 못했다. 토발에서 벌어진 괴멸적인 전투에서 살아남은 사람들. 하지만 그들의 칼끝은 어째서인지 괴수가 아닌 서로를 향하고 있었는데….